Pour Janice

Traduit de l'anglais par Marie Aubelle
Maquette de Karine Benoit

ISBN : 2-07-052656-9
Titre original : *Mucky Pup's Christmas*
Publié par Andersen Press, Ltd., Londres
© Ken Brown, 1998, pour le texte et les illustrations
© Gallimard Jeunesse, 1999, pour la traduction française,
1999, pour la présente édition
Numéro d'édition : 90206
Loi n° 49-956 du 16 juillet 1949
sur les publications destinées à la jeunesse
Dépôt légal : septembre 1999
© Christiane Schneider und Tabu Verlag Gmbh, München
pour le design de la couverture
Imprimé en Italie par Editoriale Lloyd

Gallimard Jeunesse

LE NOËL
DE SALSIFI

Écrit et illustré
par Ken Brown

folio · benjamin

Salsifi rendait beaucoup de services.
Il ramassait le courrier,
goûtait le gâteau,

et redécorait le sapin.
Quel chien intelligent !

Mais, à la maison,
personne ne trouvait ça drôle.
– Ce n'est pas bien Salsifi !
– Tu as déchiré les cartes de vœux.

– Tu as mis le gâteau en miettes.
– Tu as renversé le sapin
et demain, c'est Noël !
Allez, ouste ! Maintenant, dehors !

Salsifi alla trouver le cochon.
– Qu'y a-t-il Salsifi ? lui demanda
son ami.
– Ils ne veulent plus de moi dans

la maison, répondit le chien,
tout triste. Ils disent que j'ai gâché
Noël. Mais c'est quoi Noël,
Cochon ?

Cochon ne savait pas. Pas plus que
le cheval, la poule ou le canard.
La chatte prétendait qu'elle savait,
mais elle ne voulait rien dire.
— En tout cas,
ça n'a pas l'air très drôle,
remarqua Cochon.

Allez Salsifi,
ne t'en fais pas.
Et reste donc
avec nous
ce soir.

Salsifi se roula en boule dans
la paille tiède à côté de son ami.
Dans son sommeil, il crut entendre
quelqu'un l'appeler, mais ce n'était
peut-être qu'un rêve.

Le lendemain, lorsqu'ils mirent
le nez dehors, le paysage avait
complètement changé.
Tout était blanc.
– Dis Cochon, tu crois que c'est ça,
Noël? demanda Salsifi.

– Sûrement pas, répondit Cochon,
ça a l'air bien trop amusant.
Allez Salsifi, viens jouer !
Et c'est ce qu'ils firent…

Ils patinèrent,

ils firent des boules de neige

et de la luge en se laissant glisser
sur le dos et…

– Youppiiiiiiie !

– Salsifi ! s'écrièrent les enfants.
Quel chien intelligent !

– On t'a appelé, appelé…
Tu nous as enfin retrouvés !
Mais tu ne sais donc pas ?
Aujourd'hui, c'est Noël !

Les enfants l'assirent sur la luge
et retournèrent à la maison
qui était bien chaude
et tout illuminée.

Salsifi comprit enfin
ce qu'était Noël.
Il y avait des paquets et même
un cadeau pour lui…

… et c'était très amusant.
« Je n'ai donc pas gâché Noël,
pensa Salsifi, tout joyeux.

Il faudra que je le dise demain
à Cochon ! »

Ken Brown est né à Birmingham.
Après des études d'art à l'université
de Birmingham, Ken s'installe à Londres.
En 1980, il se lance dans la publicité
et devient directeur artistique. Il travaille
ensuite une dizaine d'années pour la BBC,
puis crée son propre studio de publicité
et de graphisme. Il se consacre aujourd'hui
à l'illustration pour les enfants, un art qu'il
partage avec sa femme, Ruth Brown
(publiée elle aussi par Gallimard).
Ken Brown a écrit et illustré de nombreux
albums pour la jeunesse : *Pourquoi pas
moi*, *Salsifi ça suffit*, *Le Noël de Salsifi*,
*La Petite Éléphante qui avait oublié
quelque chose,* tous publiés chez Gallimard
Jeunesse. Ken et Ruth habitent dans
une grande maison de Bath, et ont deux fils
déjà adultes.